毎日聽力日本語 初級 I

Everyday Listening in 50days

50 日 課程

本套教材需配合有聲CD或錄音帶使用

中譯本譯者　尤文桂

授業の始めの15分間に

通学電車の車内で

生教材へのステップに

（日本）凡人社 ● 授権　　太田 淑子　柴田 正子　牧野 恵子 ● 共著

河原崎 幹夫 ● 監修　　三井 昭子　宮城 幸枝

毎日の聞き取り50日

Everyday Listening in 50days

大新書局　印行

<ruby>1<rt></rt></ruby> この<ruby>女<rt>おんな</rt></ruby>の<ruby>人<rt>ひと</rt></ruby>はだれですか。   Tape 1-A CD 1-1

這個女生是誰？

（初級 I 本冊 64 頁）

 1. 這是誰的？請聽對話，然後按照例題劃線。

女：這枝原子筆是誰的？
男：那是楊先生的。
女：這枝鉛筆也是楊先生的嗎？
男：不，那是我的。
女：這也是你的筆記本吧！
男：不，那是妳的啦！
女：啊！對喔！抱歉。
男：這也是妳忘記的東西！
女：什麼？啊！這本字典不是我的，是楊先生的。

解答

① 筆記本　**②** 鉛筆　**③** 字典、原子筆

2. 按照例題選擇正確對話。

例 a．A：他是李先生嗎？
　　　 B：是的，是李先生。
　 b．A：他是李先生嗎？
　　　 B：不，是李先生。

① a．A：他是誰？
　　　 B：不，是李先生。
　 b．A：他是誰？
　　　 B：是李先生。

② a．A：李先生是學生嗎？
　　　 B：是的，是李先生。
　 b．A：李先生是學生嗎？
　　　 B：是，是的。

③ a．A：李先生是中國人？還是韓國人？
　　　 B：不，不是韓國人。
　 b．A：李先生是中國人？還是韓國人？
　　　 B：是中國人。

④ a．A：李先生是中國人吧！
　　　 B：是，是的。

A：他也是中國人嗎？

B：不，他也是日本人。

b．A：李先生是中國人吧！

B：是，是的。

A：他也是中國人嗎？

B：不，他是日本人。

⑤ a．A：這個公事包是誰的？

B：是李先生的。

b．A：這個公事包是誰的？

B：是李先生。

⑥ a．A：這是李先生的書嗎？

B：不，不是書。

b．A：這是李先生的書嗎？

B：不，不是李先生的。

⑦ a．A：李先生的傘是哪把？

B：那是李先生的。

b．A：李先生的傘是哪把？

B：李先生的是那把。

⑧ a．A：山川老師是什麼老師？

B：是日文老師。

b．A：山川老師是什麼老師？

B：是日本人老師。

解答

例 a ① b ② b ③ b ④ b ⑤ a ⑥ b ⑦ b ⑧ a

🌐 **老師的照片是哪一張？請聽完對話後選出正確答案。**

男：瑪麗亞小姐，這個女生是誰？

女：你說的是哪一個？

男：就是這個人，這個女生。

女：啊！那是我朋友鈴木小姐。

男：哦！這樣啊！是鈴木小姐啊！鈴木小姐是大學生嗎？

女：嗯，是大三的學生。

男：這樣嗎？那麼，這個男生呢？這個人是美國人嗎？

女：不，是法國人，是留學生皮耶魯先生。

男：是嗎？那麼這個男生呢？這個人也是學生嗎？

女：不他是我的日文老師。

男：喔！原來如此。

解答

d

請聽對話，然後用平假名寫出答案。

① A：他是<u>中國人</u>嗎？

　 B：不，<u>不對</u>。他是日本人。

② A：抱歉，那是我的<u>眼鏡</u>。

　 B：啊！是你的嗎？<u>請拿去</u>。

　 A：<u>謝謝</u>。

これは一ついくらですか。 Tape 1-A CD 1-2

ひと

這一個多少錢？

（初級 I 本冊 67 頁）

 1. 請聽對話，然後按照例題選擇正確的圖。

例 A：這個蘋果多少錢？
　　B：那 1 個 100 圓。
　　A：那麼請給我那個。

① A：請給我 5 朵這種花。
　　B：好的，5 朵是吧！1100 圓。

② A：請給我 1 公斤這種柑橘。
　　B：好的，300 圓。

③ A：這個蛋多少錢？
　　B：那 1 盒 10 個，240 圓。
　　A：那麼請給我那個。

④ A：這輛自行車要 2 萬圓嗎。
　　B：不，是 1 萬 8 千圓。
　　A：那麼，付你 2 萬圓。
　　B：好的，找你 2 千圓。

解答

例 a　① e　② d　③ g　④ h

2. 請注意聽對話中的數量詞，然後按照例題選擇正確的圖。

例 A：這 1 枝多少錢？
　　B：那要 200 圓。

① A：對不起，這 1 台多少錢？
　　B：那要 25 萬 8 千圓。

② A：請問這多少錢？
　　B：是的，這 5 個 3600 圓。

③ A：那種 100 公克多少錢？
　　B：這種嗎？這種 100 公克 230 圓。
　　A：那麼請給我 200 公克。

④ A：請給我 5 個這個。
　　B：好的，5 個是吧！1 個、2 個、3 個、4 個、5 個。
　　　好，請拿去。一共是 400 圓。

例 b　①g　②c　③a　④f

在車站賣店的對話。請仔細聽，然後寫下所購買的商品價格。

客人 A：請問這 1 條多少錢？

店　員：那種 100 圓。

客人 B：請給我啤酒。

店　員：好的，380 圓。找您 20 圓。

客人 C：對不起，給我 1 條這個。

店　員：好的，500 圓。

客人 D：有賣雨傘嗎？

店　員：有賣。這種 1000 圓，那種 300 圓。

客人 D：那麼請給我一把那種傘。

店　員：好的，1000 圓。謝謝。

①　100　②　380　③　500　④　1000

按照例題寫上平假名和數字。

例 A：對不起，這輛自行車多少錢？
　　B：這種嗎？這種 1 輛 25000 圓。

① A：對不起，這枝自動鉛筆多少錢？
　　B：這種嗎？這種 1 枝 330 圓。

② A：對不起？這張明信片多少錢？
　　B：這種嗎？這種 1 張 110 圓。

③ A：對不起，這個橡皮擦多少錢？
　　B：這種嗎？這種 1 個 90 圓。

④ A：對不起，這台電視多少錢？
　　B：這種嗎？這種 1 台 79800 圓。

さんびゃくえん に
300円のを2キロください。
Tape 1-A　CD 1-3

請給我2公斤300圓的那種。

（初級 I 本冊 69 頁）

 1. 這個男生付了多少錢？請按照例題寫出正確答案。

例　男：請給我原子筆。
　　　女：好的，這種1枝90圓，那種200圓。
　　　男：那麼請給我1枝200圓的。
　　　女：好，200圓的是吧！謝謝。

① 男：請給我這條毛巾。多少錢呀？
　　女：那種3條800圓，這種1條250圓。
　　男：那麼請給我1條250圓的那種4條。
　　女：好，知道了。一共1000圓。

② 男：請給我筆記本。
　　女：好的。這種1本70圓，那種5本300圓。
　　男：那麼請給我1本70圓的8本，然後再給我1個這種橡皮擦。
　　女：好，知道了。因為橡皮擦是50圓，所以一共610圓。

③ 男：我要蘋果。
　　女：好的。這種1個200圓，那種150圓。
　　男：那麼請給我那種150圓的6個。
　　女：好的，一共是900圓。
　　男：好，付妳1000圓。
　　女：找你100圓。謝謝惠顧。

解答

例 200　① 1000　② 610　③ 900

2. 請按照例題在正確答案上劃○。

例 A：請給我1公斤這種柑橘。
　　B：什麼？8公斤嗎？
　　A：不，是1公斤。

① A：請給我6個這種蘋果。
　　B：什麼？幾個？3個嗎？
　　A：不，是6個。

② A：這本字典多少錢？
　　B：2980圓。
　　A：1980圓對吧！

さんびゃくえん に
3. 300円のを2キロください。

B：是 2980 圓。

　　　A：啊！抱歉。

③　A：這個 3000 圓嗎？

　　　B：不，是 30000 圓喔！

　　　A：什麼？ 30000 圓？

④　A：請給我 8 個這種飯糰。

　　　B：好的。

　　　A：不是 4 個，是 8 個啦！

　　　B：啊？ 8 個嗎？

⑤　A：這台攝錄影機多少錢？

　　　B：9 萬 8907 圓。

　　　A：什麼？ 10 萬 8907 圓嗎？

　　　B：不，是 9 萬 8907 圓啦 ！

解答

例 b　① b　② b　③ a　④ b　⑤ a

請聽對話，然後在收據上填寫答案。

　　店員：歡迎光臨。

　　李　：你好！我要買橘子。這種多少錢？

　　店員：嗯，那種 1 公斤 200 圓，這種 300 圓。

　　李　：那麼請給我那種 300 圓的 2 公斤。

　　店員：好，知道了。

　　李　：請問這種蘋果多少錢？

　　店員：那種 1 個 100 圓。

　　李　：那也請給我 4 個。

　　店員：好的。

　　店員：讓你久等了。橘子 600 圓，蘋果 400 圓，所以剛好 1000 圓。

　　　　　加上消費稅 50 圓，一共是 1050 圓。

　　李　：好，那麼我付你 1100 圓。

　　店員：這是找零和收據寫。謝謝惠顧。

解答

蘋果 400，　小計 1000，　消費稅 50，　找零 50

✏️ 請聽對話，然後用平假名寫出答案。

① A：歡迎光臨。

　　B：請給我 <u>6 枝</u>這種 <u>100 圓</u>的鉛筆。

　　A：好的，一共 <u>600 圓</u>。

② A：這種筆記本多少錢？

　　B：那種 <u>1 本</u>　<u>300 圓</u>。

　　A：那麼請給我這種 <u>10 本</u>。

　　B：好，知道了。

　　A：付你 <u>3000 圓</u>。

　　B：<u>謝謝惠顧</u>。

来週の木曜日はわたしの誕生日です。

下星期四是我的生日。

Tape 1-A　CD 1-4

（初級 I 本冊 72 頁）

 1. 請在和圖相符的對話內容上劃○，不同的打×。

例　A：幾點？
　　B：9 點。

① A：現在幾點？
　 B：現在是 1 點差 10 分。

② A：幾點？
　 B：11 點過 5 分。

③ A：現在幾點？
　 B：4 點半。

④ A：對不起，現在幾點？
　 B：嗯，現在是 7 點 21 分。
　 A：那麼下班公車是 7 時 24 分的囉！

──解答────────────

例 × ① × ❷ ○ ❸ × ❹ ○

2. 請在和月曆相符的對話內容上劃○，不同的打×。

例　今天是 4 月 19 號星期五。
　　A：明天是星期天嗎？
　　B：對，明天是星期天。

① A：明天是幾號？
　 B：明天是 4 月 20 號。

② A：這個月是幾月？
　 B：5 月。

③ A：昨天是星期幾？
　 B：昨天是星期六。

④ A：上個月是幾月？
　 B：3 月。

⑤ A：下星期二是幾號？
　 B：下星期二是 23 號。

⑥ A：後天是星期幾？
　 B：後天是星期三。

3. 按照圖書館的告示在正確的對話內容上劃○，錯誤的打×。

例 A：圖書館幾點開館？
B：6 點 30 分開館。

① A：星期一休館嗎？
B：不，不休館，休館日是星期天。

② A：星期天從幾點開到幾點？
B：從早上 9 點半開到下午 4 點。

③ A：星期二也開到下午 4 點嗎？
B：不，星期二開到下午 5 點。

解答

例 × ① × ② ○ ③ ○

1. 真理子的生日是什麼時候？請邊看月曆邊聽對話回答。

男：嗯，今天是幾號？
女：今天是 4 月 28 號。
男：什麼？那下星期就是 5 月囉！
女：啊！下星期四是我的生日。
男：哦！真理子的生日是「兒童節」呀！
女：是呀！下星期以後我就 20 歲了。
男：是嗎？那就不再是小孩子，而成了大人囉！

2. 請再聽一次對話，然後回答問題。開始時請稍微看一下問題。

解答

5 月 5 日（兒童節） ① 19 歲 ② 4 月

✏ **請用數字和平假名填寫**

今天是 5 月 3 號「行憲紀念日」。從今天開始到後天為止都放假。後天是「兒童節」。上個月的 29 號也放假，是「綠化日」。

4. 来週の木曜日はわたしの誕生日です。

ポストはどこですか。

 Tape 1-A　CD 1-5

郵筒在哪裡？

（初級 I 本冊 75 頁）

 1. 請聽對話，然後在和圖相符的對話內容上劃○，不同的打×。

例 A：椅子在哪裡？
　　B：椅子在書櫃前面。

① A：電話在哪裡？
　　B：電話在椅子上。

② A：桌子在哪裡？
　　B：桌子在門旁。

③ A：狗在哪裡？
　　B：狗在椅子底下。

④ A：門在哪裡？
　　B：門在窗戶右邊。

⑤ A：花在哪裡？
　　B：花在電視上。

⑥ A：電視在哪裡？
　　B：電視在書櫃和椅子之間。

解答

例 ○　❶ ○　❷ ×　❸ ×　❹ ○　❺ ×　❻ ×

2. 聽完對話後按照例題選擇答案，然後再做檢查。

例 A：對不起，郵局在哪裡？
　　B：你說郵局嗎？在車站（♪）
　　　　＜郵局在車站前面。＞

① A：對不起，電話在哪裡？
　　B：電話嗎？電話（♪）那個樓梯上面。
　　　　＜電話在那個樓梯上面。＞

② A：山田老師在哪裡？
　　B：山田老師嗎？老師（♪）2 樓的辦公室。
　　　　＜老師在 2 樓的辦公室。＞

③ A：對不起，錄音機在哪裡？
　　B：錄音機嗎？嗯，錄音機（♪）那裡。
　　　　＜錄音機在那裡。＞

④ A：譚先生在嗎？

　　B：譚先生嗎？譚先生現在（♪）餐廳。

　　　＜譚先生現在在餐廳。＞

⑤ A：對不起，洗手間在哪裡？

　　B：洗手間（♪）那個辦公室的左邊。

　　　＜洗手間那個辦公室的左邊。＞

解答

例 a　① a　② b　③ a　④ b　⑤ a

請聽對話，然後按照例題選擇正確答案。

　例 約翰先生的公事包是哪個？

　　A：對不起，約翰先生的公事包在哪裡？

　　B：什麼？約翰先生的公事包嗎？嗯，在那裡！

　　A：哪裡？

　　B：那裡呀！桌子上面。

　　A：是黑板前面的桌子嗎？

　　B：不，是窗戶旁邊的桌子。

　　A：啊，是那個嗎？謝謝。

① 瑪麗亞小姐是哪一位？

　　A：瑪麗亞小姐是哪一位？

　　B：瑪麗亞小姐嗎？瑪麗亞小姐是那一位。

　　A：什麼？哪一位？站在那扇門前的那位嗎？

　　B：不，那是安娜小姐。瑪麗亞小姐站在時鐘下面。

　　A：啊，我知道了。那位就是瑪麗亞小姐呀！

② 李先生的貓在哪裡？

　　A：李先生，你的貓是哪一隻？

　　B：是那隻。我的貓在箱子裡。

　　A：在箱子裡呀！是桌子下面的箱子嗎？

　　B：不的。窗戶旁邊有個椅子對吧！我的貓就在那椅子上面，在椅子上面的箱子裡。

　　A：啊！是那隻嗎？

③ 譚先生家在哪裡？

　　A：譚先生，你家在哪裡？

　　B：在那裡，在公園前面。

　　A：哦！在公園的左邊嗎？

　　B：不，公園前面有銀行和超市對吧！

　　A：嗯。

5. ポストはどこですか。…

B：銀行和超市中間有棟公寓。我家就在那棟公寓的 2 樓。

A：哦！原來如此。

④ 郵筒在哪裡？

　　A：對不起，這附近有郵筒嗎？

　　B：你說郵筒嗎？

　　A：是的。

　　B：那裡有家大書店對把！

　　A：啊，在銀行前面。

　　B：嗯，那家書店隔壁有家藥房，郵局就在藥房前面。

　　A：啊！我知道了，謝謝。

解答

例 a　① c　② a　③ b　④ b

請用平假名填寫。

我住的公寓<u>位於</u>中野，房間是201號室。我和譚先生共住<u>在</u>這間屋子裡。南面<u>有</u>窗戶，窗戶旁<u>有</u>桌子，桌子<u>上有</u>書和檯燈等物品。電視<u>在</u>書櫃上面。還<u>沒有</u>安裝電話。

12時にマリアさんのアパートへ行きます。

じゅうにじ　　　　　　　　　　　　　　　　　　　い

12點要去瑪麗亞小姐的公寓。

Tape 1-B　CD 1-6

(初級 I 本冊78頁)

 1. 請先看圖，李先生現在在學校。然後再聽a、b、c 的句子，並從中選擇正確的答案。

例 a. 李先生今天早上7點去的。

　　b. 李先生今天早上7點起床的。

　　c. 李先生今天早上7點來的。

正確句子是 b，所以在 b 上畫○。現在開始。

① a. 李先生9點到學校去的。

　　b. 李先生9點要到學校來。

　　c. 李先生9點到學校來的。

② a. 李先生2點要到銀行來。

　　b. 李先生2點要到銀行去。

　　c. 李先生2點到銀行去了。

③ a. 李先生6點要去公寓。

　　b. 李先生6點要回公寓。

　　c. 李先生6點要來公寓。

解答

例 b　① c　② b　③ b

2. 請按照例題在 a、b、c 中選出正確對話。

例 a. 幾點睡覺的？ — 睡了8小時。

　　b. 幾點睡覺的？ — 8點睡覺的。

　　c. 幾點睡覺的？ — 睡到了8點。

① a. 去了圖書館嗎？ — 不，不去。

　　b. 去了圖書館嗎？ — 不，沒來。

　　c. 去了圖書館嗎？ — 不，沒去。

② a. 要去哪裡？ — 要去哪裡。

　　b. 要去哪裡？ — 去車站。

　　c. 要去哪裡？ — 從車站去。

③ a. 一個人去的嗎？ — 不，朋友也去了。

　　b. 一個人去的嗎？ — 不，朋友去了。

　　c. 一個人去的嗎？ — 不，朋友去了。

④ a. 休息一下吧！— 休息了。
   b. 休息一下吧！— 要休息。
   c. 休息一下吧！— 休息吧！

⑤ a. 誰來了？— 和川田先生來了。
   b. 誰來了？— 川田先生來了。
   c. 誰來了？— 川田先生來了。

解答

例 b ① c ② b ③ a ④ c ⑤ c

 1. 這是瑪麗亞小姐的週間計劃。請過目，然後聽對話回答。今天是星期幾呢？

男：瑪麗亞小姐，妳今天下午有課嗎？

女：沒有。

男：那麼一起去看電影吧！

女：抱歉，今天下午我要在圖書館唸書。

男：是嗎？那明天下午有空嗎？

女：明天3點以後我要打工。星期天如何？

男：嗯，好呀！那我星期天的12點左右到妳公寓去。

女：好，我知道了。星期天見囉！

解答

星期五

2. 請看週間計劃，然後依照例題選擇正確答案。

例 瑪麗亞小姐什麼時候去美容院？
   a. 星期三　　b. 星期天　　c. 星期六

① 星期二下午要去哪裡？
   a. 橫濱　　　b. 圖書館　　c. 醫院

② 幾點以後要打工？
   a. 1點　　　b. 4點　　　　c. 3點

③ 星期一的課上到幾點？
   a. 3點　　　b. 12點　　　c. 9點

④ 什麼時候要去橫濱？
   a. 星期三上午　b. 星期三下午　c. 星期四

解答

例 c ① b ② c ③ a ④ b

請用平假名填寫

① 李先生 1972 年<u>生於</u>中國上海。
　　去年 12 月<u>來</u>到日本。
　　後天起將上大學<u>唸書</u>。

② 白先生昨天哪裡也<u>沒去</u>，一整天都待在公寓裡。他明天要和朋友
　　<u>去</u>新宿。搭電車道新宿約<u>霊</u> 1 小時。

きれいですね。

Tape 1-B CD 1-7

真漂亮哩！

（初級Ⅰ本冊81頁）

1. 請聽對話，然後選擇正確的圖。

例 田中先生，那道菜好吃嗎？－ 不，不太好吃。

① 安娜小姐，那本書內容精彩嗎？－ 嗯，非常精彩。
② 木村先生，你住的公寓新嗎？－ 不，不新，非常舊哩！
③ 約翰先生，你的車貴嗎？－ 不，不太貴。
④ 楊先生，貴國現在冷嗎？－ 嗯，非常冷。
⑤ 山田先生，你家大嗎？－ 不，不太大。

解答

例 b ① b ② b ③ b ④ a ⑤ b

2. 請按照例題選擇正確答案，然後再做檢查。

例 男：假日妳都去哪裡？
　　女：我經常去新宿。
　　男：新宿是個什麼樣的地區呢？
　　女：非常（♪）。
　　　　＜新宿是個非常繁華的地區。＞

① 男：瑪麗亞小姐，妳來自哪一國？
　　女：巴西，從日本搭飛機約需20個小時。
　　男：是嗎？好（♪）啊！
　　　　＜巴西好遠啊！＞

② 男：拉塔娜小姐住的大樓在哪裡？
　　女：我住的大樓在車站前面。搭電車到公司要10分鐘。
　　男：哦！拉塔娜小姐家相當（♪）。
　　　　＜拉塔娜小姐家位於相當方便的地方嘛！＞

③ 男：呼！這咖啡很燙。妳那杯果汁怎麼樣？
　　女：（喝果汁的聲音）啊！好喝，這杯果汁非常（♪）
　　　　＜這杯果汁非常冰涼。＞

④ 女：抱歉，有紅鞋嗎？
　　男：歡迎光臨。您要穿的鞋子嗎？這雙如何？
　　女：這個嘛！啊！好痛，這雙有點（♪）
　　　　＜這雙鞋子有點小。＞

⑤ 男：各位同學，明天要考日文，

　　女：老師，是什麼樣的考試呢？容易嗎？

　　男：不，有些（♪）

　　　　＜考題有些難喔！＞

解答
例 a　① b　② a　③ b　④ a　⑤ b

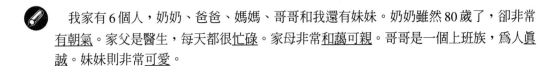 請先看問句，再聽對話回答問題。現在請聽對話。

　　男：今天的派對可真熱鬧！

　　女：是呀！各國人士都到場了呢！

　　男：惠子小姐，妳今天穿和服呀！真漂亮哩！

　　女：什麼？你是說我還是說和服呢？

　　男：不論是和服還是惠子小姐，都真的很漂亮。這是什麼？

　　女：這個嗎？這是腰帶。

　　男：哦！不重嗎？

　　女：嗯，是有些重啦！

　　男：那麼那白襪是？

　　女：這不是襪子，是日式足袋。

請填寫。

解答
① 繁華的　② 漂亮的　③ 輕的、重的　④ 白的（白色）

　　我家有6個人，奶奶、爸爸、媽媽、哥哥和我還有妹妹。奶奶雖然80歲了，卻非常有朝氣。家父是醫生，每天都很忙碌。家母非常和藹可親。哥哥是一個上班族，為人真誠。妹妹則非常可愛。

きのう、何^{なに}をしましたか。

Tape 1-B CD 1-8

昨天做了什麼？

（初級 I 本冊 83 頁）

 1. 請按照例題選擇正確答案。

例 A：昨天看電視了嗎？
　　B：是的，（♪）

① A：今天早上吃早飯了嗎？
　　B：是的，（♪）

② A：昨天看報紙了嗎？
　　B：是的，（♪）

③ A：明天要去銀行嗎？
　　B：不，（♪）

④ A：昨天買書了嗎？
　　B：是的，（♪）

⑤ A：今天早上喝咖啡了嗎？
　　B：不，（♪）

⑥ A：昨天 6 點回家的嗎？
　　B：是的，（♪）

⑦ A：今天晚上要唸書嗎？
　　B：不，（♪）

⑧ A：田中先生昨天來了嗎？
　　B：是的，（♪）

⑨ A：昨天遇見田中先生了嗎？
　　B：不，（♪）

⑩ A：明天在家嗎？
　　B：是的，（♪）

解答

例 a　① a　② b　③ b　④ a　⑤ b　⑥ b　⑦ a
⑧ b　⑨ a　⑩ b

2. 請先聽簡短對話，然後再聽 a、b， 從中選擇和對話內容相符的答案。

例 男：林小姐，我們一起去新宿好不好？
　　女：好啊，走吧！

　　　　　　a. 女生要去新宿。
　　　　　　b. 女生不去新宿。

① 男：林小姐，妳吃中飯了嗎？
　　女：不，還沒。現在要去吃。
　　　　　a. 女生吃了中飯。
　　　　　b. 女生現在要去吃中飯。

② 男：林小姐，妳在百貨公司買了什麼？
　　女：我什麼也沒買。
　　　　　a. 女生買了些東西。
　　　　　b. 女生什麼也沒買。

③ 男：安小姐每天看電視嗎？
　　女：這個嘛！沒有每天看，但時常看。
　　　　　a. 女生時常看電視。
　　　　　b. 女生不看電視。

④ 男：安小姐，休息一下吧！要不要喝杯咖啡？
　　女：謝謝，但我不喝咖啡，請給我一杯水。
　　　　　a. 女生要喝咖啡。
　　　　　b. 女生不喝咖啡。

⑤ 男：安小姐一天大約唸多久日文呢？
　　女：這個嘛！大約3個小時。
　　　　　a. 女生一天大約唸3次。
　　　　　b. 女生一天大約唸3個小時。

解答
例 a　① b　② b　③ a　④ b　⑤ b

 田中先生昨天做了什麼？請邊看圖邊聽句子。

例 去圖書館

a. 看書　　　　　　e. 看錄影帶
b. 寫報告　　　　　f. 聽錄音帶
c. 洗衣服　　　　　g. 打網球
d. 吃飯　　　　　　h. 唱歌

田中先生昨天做了什麼？請聽下面對話，然後按照例題選擇劃○。

A：田中先生，你昨天不在房間對吧！
B：嗯，昨天我去圖書館了。
A：去唸書嗎？你好認眞喔！
B：沒有啦！我在圖書館看錄影帶。

A：哦，看錄影帶？

B：是的，看電影錄影帶。那個圖書館有許多精彩的錄影帶哩！

A：哦，真的嗎？

B：我還在圖書館的餐廳吃中飯，然後再繼續看錄影帶。

A：哦！你晚上也不在房間對吧！

B：嗯！我和朋友去唱卡拉OK了。唱了好幾首歌，真開心！

A：哦！明天有考試耶！沒問題吧？

解答

d ， e ， h,

　　我每天早上7點起床，然後吃早飯，8點去上學。課是從9點半上到3點。我的老師是位和藹可親的老師。我4點鐘回家，每天都有功課。在家唸3小時的書，接著看電視。有時候給家人寫信。12點睡覺。

だれに 机（つくえ）をもらいましたか。

Tape 1-B　CD 1-9

誰給的桌子？

(初級 I 本冊 86 頁)

1. 請聽下列句子，然後在和圖相符的內容上劃○，不同的打×。

例　瑪麗亞小姐給我書。

① 山田先生給我筆。
② 我給李小姐鞋子。
③ 我給鈴木先生花。
④ 我給瑪麗亞小姐手錶。
⑤ 林先生給我 CD。

解答

例 ○　① ×　② ○　③ ×　④ ○　⑤ ×

2. 請按照例題選擇答案，然後再做檢查。

例 A：好好吃的點心喔！是在蛋糕店買的嗎？
　　B：不，是瑪麗亞小姐(♪)
　　　　＜瑪麗亞小姐給的。＞

① A：林先生看錄影帶嗎？
　　B：嗯！看呀！昨天我也在錄影帶出租店(♪)錄影帶。
　　　　＜租了錄影帶＞

② A：林先生，你日文說得真好，是在哪裡學的？
　　B：在國內向日本老師(♪)
　　　　＜向日文老師學的。＞

③ A：約翰先生，好漂亮的花喔！
　　B：今天是朋友的生日。這花要(♪)朋友。
　　　　＜給朋友。＞

④ A：楊先生，你今天要用電腦嗎？
　　B：不用。今天我沒有電腦，因為我(♪)朋友了。
　　　　＜我借給朋友了。＞

⑤ A：林小姐，要不要去看足球，我有入場券。
　　B：好呀！謝謝。那入場券是買的嗎？
　　A：不，是田中先生(♪)
　　　　＜田中先生給的。＞

解答

例a　① b　② a　③ a　④ b　⑤ a

1. 瑪麗亞小姐和陳先生在談話。誰從誰那拿到了桌子？後來又給了誰？請在（　）裡填上名字。

男：咦！瑪麗亞小姐，這桌子是怎麼回事？
女：是楊學長給我的。楊學長他已經回國了。
男：那張桌子是我 5 年前給他的。
女：真的嗎？這桌子原來是陳先生的呀？你買了這桌子嗎？
男：不，也是人家給我的，就是我叔叔。我叔叔在百貨公司買了那張桌子。
女：是嗎？陳先生的叔叔買了這張桌子嗎？這桌子還很新，我會好好使用的。

2. 是誰買了桌子？請寫出。

解答

1.（左起）陳先生的叔叔，楊先生　　2. 陳先生的叔叔

　昨天是瑪麗亞小姐的生日。我送了瑪麗亞小姐電話卡。林先生和陳先生也都送了她電話卡。瑪麗亞小姐拿了許多電話卡。瑪麗亞小姐晚上就用那些卡打電話給國內的家人。

<ruby>何<rt>なに</rt></ruby>をしに<ruby>行<rt>い</rt></ruby>きますか。

Tape 2-A　CD 2-1

要去做什麼？

（初級 I 本冊 88 頁）

 1. 請聽對話，然後按例題選擇正確答案。

例 女：李先生，好大的包包啊！
　　男：嗯，這裡面有毛巾等各種物品。因為我要和朋友去游泳。
　　　　[李先生要去哪裡？]　　a.海邊　b.爬山　c.車站

① 女：李先生，你感冒了嗎？
　　男：嗯，我頭有點痛，要去買藥。
　　　　[李先生要去哪裡？]　　a.鞋店　b.壽司店　c.藥店

② 女：李先生，那盒子是什麼？
　　男：日本娃娃。是要送給家母的。我現在就去郵寄。
　　　　[李先生要去哪裡？]　　a.銀行　b.郵局　c.機場

③ 女：李先生，你要去哪裡？
　　男：去新宿買一下書。
　　女：哦，是嗎？路上小心！
　　　　[李先生要去哪裡？]　　a.圖書館　b.書店　c.電影院

④ 女：李先生，天氣真好呀！
　　男：的確，因為今天有空，所以要去散步。
　　女：真羨慕你！
　　　　[李先生要去哪裡？]　　a.公園　b.公司　c.醫院

⑤ 女：李先生，你工作做完了沒？
　　男：嗯！惠子小姐也做完了嗎？
　　女：嗯！那我們一起去吃飯好不好？
　　男：好呀！走吧！
　　　　[李先生和惠子小姐要去哪裡？]　　a.餐廳　b.公司　c.電影院

解答

例 a　① c　② b　③ b　④ a　⑤ a

2. 請先聽簡短對話，然後再聽 a、b、c，從中選擇和對話內容相符的答案。

例 男：瑪麗亞小姐，那是什麼？
　　女：這個嗎？這是風景明信片，要寄給朋友的。
　　男：妳用日文寫嗎？
　　女：不，我日文還不行，所以是用英文寫的。

　　　　a. 女生是用日文寫的。

　　　　b. 女生是用英文寫的。

　　　　c. 女生是用中文寫的。

① 男：這白色東西是什麼？起司嗎？

　　女：不，不是起司，是豆腐。

　　男：是用什麼做的？牛奶嗎？

　　女：不，是黃豆做的。

　　男：原來如此。

　　　　a. 黃豆是豆腐做的。

　　　　b. 豆腐是黃豆做的。

　　　　c. 豆腐是牛奶做的。

② 女：早。你總是這麼早，幾點來學校的呢？

　　男：這個嘛，8 點左右。

　　女：那你幾點從家裡出發的呢？

　　男：7 點不到。

　　　　a. 男生總是 8 點左右出門。

　　　　b. 男生總是 7 點左右來學校。

　　　　c. 男生總是 8 點左右來學校。

③ 男：現在幾點？

　　女：已經 5 點半了！音樂會 6 點開始吧！

　　男：嗯。沒有時間了，我們搭計程車去好不好？

　　女：好呀！不過這附近沒有什麼計程車耶！

　　男：那麼搭公車去好了！

　　女：好呀！啊！那裡有地鐵入口，我們搭地鐵去吧！

　　男：就這麼決定！

　　　　a. 兩人搭計程車去。

　　　　b. 兩人搭地鐵去。

　　　　c. 兩人搭公車去。

解答

例 b　① b　② c　③ b

請聽對話，然後選擇正確答案。

男：嗨！李小姐，妳要去哪裡？

女：嗯，要去成田。

男：哦？已經要回國了嗎？

女：不，是去接朋友。

男：原來如此。妳要搭什麼車去呢？

女：我要從新宿搭成田特快車去。

男：大概要花多久時間呢？
女：這個嘛…1個小時多一點點。
男：是嗎？那麼路上請小心。

現在問問題，請選擇正確答案。

① 李小姐要去成田機場做什麼？請在正確答案上劃○。
　　a. 去成田看飛機。
　　b. 去成田接朋友。
　　c. 去成田拍照。

② 李小姐要搭什麼去成田機場？
　　a. 搭公車去。
　　b. 搭計程車去。
　　c. 搭成田特快車去。

③ 從新宿到成田大概要花多久時間？
　　a. 剛好1個小時。
　　b. 不到1個小時。
　　c. 1個小時多一點點。

解答

① b ② c ③ c

　　我現在在<u>東京</u>，今年4月<u>為</u>學習電腦而<u>來</u>。每天早上<u>8</u>點<u>出門</u>，搭公車<u>去</u>學校。9點<u>進入</u>研究室。每天都很<u>忙碌</u>。

這家旅館的建築物很老舊。

（初級 I 本冊91頁）

1. 請聽對話，然後按照例題選擇正確的圖。

例 A：金先生會開車嗎？
　　B：是的，我會。

① A：李先生吉他彈得好嗎？
　　B：不，彈得不太好。

② A：翁先生看得懂漢字嗎？
　　B：不，完全看不懂。

③ A：譚先生會打高爾夫球嗎？
　　B：不會，但是我很會滑雪。

④ A：約翰先生懂日文嗎？
　　B：嗯，很懂。

⑤ A：雲先生，你牙痛嗎？
　　B：不，我牙不痛，但我頭痛。

解答

例 b ① e ② f ③ a ④ g ⑤ d

2. 猜猜看！我是什麼動物呢？請按照例題選擇。

例　我耳朵大。
　　我鼻子長。
　　我身體龐大。

①　我耳朵長。
　　我眼睛紅。
　　我不吃肉。

②　我脖子長。
　　我腳長。
　　我步伐快。

③　我沒有手。
　　我也沒有腳。
　　我身體長。

解答

例 a ① f ② d ③ c

這裡是什麼樣的旅館呢？請聽對話，然後按照例題劃線。

A：就是這裡！李先生，這就是日本的旅館。

B：哦！這就是日本的旅館嗎？

A：建築物雖然有點老舊，卻是一家好旅館喔！好！我們進去吧！

B：這家旅館的庭園好大呀！樹好多喔！

A：房間也很乾淨呢！

B：真的耶！好乾淨呀！而且這裡很安靜哩！

A：嗯，離車站雖然遠了些，可是相當安靜，不錯吧！李先生，這家旅館的菜也很好吃哦！

B：真不錯！不過，田中先生，這家旅館的價錢如何？

A：非常便宜。

B：是嗎？田中先生，我喜歡上這家旅館了耶！

A：那實在是太好了。

解答

例 建築物—老舊， 庭園—寬廣， 房間—乾淨， 菜—好吃
價錢—便宜

 因為林小姐還不太懂日文，所以每天學日文。日文課上到3點結束，接著在餐廳打工。1個星期打3次工，時間是從5點到9點。因為這家店的菜很好吃，所以總是有許多客人。

缶コーヒーは甘いですから、あまり飲みたくないです。

罐裝咖啡是甜的，所以不怎麼想喝。

 Tape 2-A　CD 2-3

（初級 I 本冊 93 頁）

 1. 請按照例題選擇，然後再做檢查。

例　A：這台相機如何？

　　B：這個嗎？雖然是很不錯的相機，但是太貴，（♪）
　　　　＜雖然是很不錯的相機，但是太貴，所以不買。＞

① A：李先生，你怎麼了？
　 B：我感冒了。因為發燒，（♪）
　　　＜因為發燒，所以要向學校請假。＞

② A：今晚你會看電視足球轉播嗎？
　 B：今天有很多功課，（♪）
　　　＜今天有很多功課，所以不看。＞

③ A：這裡離車站很遠喔！
　 B：嗯，走路要 20 分鐘。雖然有些辛苦，但卻是個非常安靜的地方，（♪）
　　　＜卻是個非常安靜的地方，所以我喜歡這裡。＞

④ A：李先生，令堂生日的時候你要送什麼？
　 B：這個嘛…。家母喜歡音樂，所以，（♪）
　　　＜家母喜歡音樂，所以我想送她 CD。＞

⑤ A：你要搭飛機到九州去呢？還是搭新幹線去？
　 B：我不太喜歡飛機，所以（♪）
　　　＜我不太喜歡飛機，所以要搭新幹線去。＞

解答

例 b　① b　② b　③ a　④ a　⑤ b

2. 請聽以下對話，然後按照例題用「～たい」或「～たくない」來表達約翰先生的心情。

例 女：約翰先生，你想和什麼樣的人結婚呢？
　 男：溫柔的人。

① 男：口渴了喔！要不要喝點什麼？
　 女：嗯，想喝清涼的飲料。約翰先生，你要喝什麼？
　 男：有烏龍茶嗎？

② 男：是新電腦嗎？
　 女：嗯，還可以上網，非常方便喔！約翰先生要不要也買一台？
　 男：真是不錯！我想發 E-mail 給美國的朋友。價錢大概是多少呢？

③ 女：我們星期五起要去滑雪，約翰先生要不要也一起去？

男：我不太喜歡寒冷的地方。

女：這樣啊！

④ 女：約翰先生，明天星期天，你想做什麼？

男：做許多事情。像是打網球、購物、還有約會和…。

女：和洗的，嗎？

男：啊！那個嘛…。

解答

例 想結婚　① 想喝（想要）　② 想買（想要）　③ 不想去　④ 想要，不想要

這個男生喜歡什麼樣的咖啡？請聽對話，然後選擇一個正確答案。

女：先生，打擾你幾分鐘的時間，請配合做一項調查。

男：什麼？

女：你喜歡喝咖啡嗎？

男：嗯，喜歡呀！

女：那麼你是否也經常喝罐裝咖啡呢？

男：不，我不怎麼會想去喝罐裝咖啡！

女：爲什麼？

男：因爲罐裝咖啡非常甜，我不喜歡喝甜的咖啡。

女：是嗎？這是新推出的罐裝咖啡，不甜喔！請嘗嘗看。

男：哦！可以喝嗎？

女：請別客氣。

男生喜歡什麼樣的咖啡？

　　a. 喜歡甜的咖啡。

　　b. 喜歡不甜的咖啡。

　　c. 喜歡罐裝咖啡。

解答

b

---

 1. 今天是星期六，所以<u>銀行休業</u>。

2. 因爲頭痛，所以<u>請假不上學</u>。

3. <u>肚子還不餓</u>。

4. <u>不喜歡日本茶</u>。

12. 缶コーヒーは甘いですから、あまり飲みたくないです。…

しんじゅく

Tape 2-A CD 2-4

新宿是個什麼樣的地區呢？

（初級 I 本冊 96 頁）

 1. 請按照例題選出正確答案，然後再做檢查。

例 男：派對怎麼樣？
　　女：非常（♪）
　　　　＜非常愉快。＞

① 男：電影怎麼樣？
　　女：不怎麼（♪）
　　　　＜不怎麼精彩。＞

② 男：今天的考試好難喔！
　　女：嗯，但是昨天的（♪）
　　　　＜昨天的很簡單。＞

③ 男：這裡真熱鬧呀！
　　女：嗯，但是 10 年前（♪）
　　　　＜10 年前很寧靜。＞

④ 男：昨天真熱呀！
　　女：嗯！但是今天（♪）
　　　　＜今天很涼爽。＞

解答

例 a　① b　② b　③ a　④ a

2. 請聽簡短對話。後面會說出句子，和對話內容相符的劃○，不同的打╳。

例 女：李先生，你日語進步了！
　　男：是嗎？謝謝。
　　　　［李先生從前日語就很好。］

① 女：李先生，你感冒怎麼樣了？
　　男：已經不要緊了。
　　　　［李先生恢復健康了。］

② 女：什麼？這要 500 圓？不是 400 圓嗎？
　　男：嗯，本月起調漲為 500 圓了。
　　女：這樣嗎？
　　　　［上個月是 500 圓。］

③ 女：李先生，你上理髮廳去了呀？

男：嗯，昨天去的。

女：你理了不少頭髮嘛！

[李先生頭髮變短了。]

④ 女：你已經看完那本書了嗎？

男：不，還沒，才看了一半。

女：內容不精彩嗎！

男：剛開始還蠻精彩的 ... 。

[這本書愈看愈精彩。]

解答

例 ×　① ○　② ×　③ ○　④ ×

1. 這對男女去了東京都廳。請聽兩人的對話，然後選出 1970 年左右的新宿圖。

男：這就是都廳大樓嗎？距離新宿車站不太遠嘛！

女：嗯，大概 10 分鐘吧！

男：哇！好高喔！有幾層樓呢？

女：48 層。 45 樓處有大廳，我們去那裡吧！電梯在這裡！

男：惠子小姐！那張照片是？

女：啊！那是 1970 年左右的新宿。

男：和現在差好多呀！

女：嗯，不但街道狹窄，建築物也都很矮，還有許多小房子。

男：現在高樓增加了！

女：嗯，道路也拓寬了。我們走吧！電梯來了喔！

2. 請再聽一次對話，然後聽 a、b、c、d，選出一個和對話內容相符的答案。

a. 都廳距離新宿車站很遠。

b. 大廳在 48 樓。

c. 新宿有很多高樓。

d. 新宿的街道很狹窄。

解答

1. b　2. c

2 月 15 日不怎麼冷，天氣也很好。

2 月 16 日是下雪天，非常地寒冷。

2 月 17 日又轉為好天氣，變得有些暖和。

日本とタイではどちらが大きいですか。

日本和泰國哪個大？

Tape 2-B　CD 2-5

（初級 I 本冊 99 頁）

 1. 請在和對話內容相符的圖上劃○，不同的打×。

例 A：李先生和花子小姐哪個個子高？
　　B：花子小姐。

① A：高山和大山這兩座山哪個高？
　　B：高山較高。

② A：這個蘋果和這個橘子哪個重？
　　B：橘子。

③ A：一夫先生和花子小姐哪個年輕？
　　B：一夫先生。

④ A：這枝原子筆和鉛筆差不多長嗎？
　　B：不，這枝原子筆沒有鉛筆長。

⑤ A：這葡萄酒沒有這威士忌貴吧！
　　B：不，葡萄酒比威士忌貴喔！

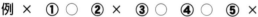

解答

例 ×　①○　②×　③○　④○　⑤×

2. 請按照例題選擇正確的對話。

例 a. 男：貴國什麼時候最熱？
　　　女：8月。
　　b. 男：貴國什麼時候最熱？
　　　女：沖繩。

① a. 男：妳最喜歡日本的哪裡？
　　　女：春天。因為盛開許多花。
　　b. 男：妳最喜歡日本的哪裡？
　　　女：京都。因為有古寺。

② a. 男：這個班上誰最年輕？
　　　女：中國人。有10個人。
　　b. 男：這個班上誰最年輕？
　　　女：李同學。18歲。

③ a. 男：有好多漂亮的花喔！拉塔娜小姐喜歡什麼顏色的花？
　　　女：我喜歡櫻花。

b．男：有好多漂亮的花喔！拉塔娜小姐喜歡什麼顏色的花？

　　女：我喜歡白色的花。

④　a．女：網球和足球，你喜歡哪一樣？

　　　男：足球。

　　b．女：網球和足球，你喜歡哪一樣？

　　　男：我最喜歡足球。

解答

例 a　① b　② b　③ b　④ a

3. **請先聽簡短對話，然後仔細聽女生的回答，選擇和對話內容相符的答案。**

例　男：貴國的蘋果和香蕉哪一種貴？

　　女：以1公斤的價格而言，兩種都貴，但蘋果沒有香蕉貴。

　　　a．香蕉比蘋果便宜。

　　　b．蘋果比香蕉便宜。

①　男：妳家常用電還是瓦斯？

　　女：電。因為瓦斯雖然便宜，卻沒有電來得方便。

　　　a．電比較方便。

　　　b．瓦斯比較方便。

②　男：星期六和星期天，妳哪一天方便？

　　女：哪一天都方便…。不過星期天沒有星期六來得有空。

　　　a．星期天比較有空。

　　　b．星期六比較有空。

③　男：「聽」和「寫」哪種難？

　　女：這個嘛…。兩種都難耶！不過我覺得「寫」沒有「聽」那麼難。

　　　a．「寫」比較容易。

　　　b．「寫」比較難。

解答

例 b　① a　② b　③ a

日本和泰國哪個大？請聽下列對話。

老　師：昨天我們看了日本的地圖，今天就來看亞洲的地圖吧！

學生 A：老師，日本好小喔！中國真大！

老　師：是呀！

學生 B：老師，也有和日本面積差不多的國家耶！像日本和菲律賓、馬來西亞就差不多大。這三個國家哪個面積最大呢？

老　師：那當然是日本囉！

學生 B：哦！是嗎？那麼菲律賓和馬來西亞哪個大？

老　師　：馬來西亞比較大。

學生 A：老師，那泰國呢？

老　師　：泰國可比日本大多了呢！

學生 A：原來如此。

1. 日本和泰國哪個大？請在正確答案上劃○。

　a. 日本比泰國大。

　b. 泰國比日本大。

2. 請再聽一次對話，然後按照例題選擇答案。

例　中國和日本哪個大？

① 日本和馬來西亞哪個大？

② 菲律賓和馬來西亞哪個小？

③ 馬來西亞和泰國哪個大？

解答

1.b　　2. 例 中國　① 日本　② 馬來西亞　③ 泰國

　　日本有北海道、本州、九州、四國四個 大島，也有許多 小島。
最大的島是本州。北海道和九州比起來，北海道可大多了。四國沒有九州大。

タンさんは<ruby>何<rt>なに</rt></ruby>をしていますか。

譚先生在做什麼？

Tape 2-B　CD 2-6

（初級Ⅰ本冊102頁）

1. 請按照例題回答下列問題，然後再做檢查。

例1 A ： 菜已經做好了嗎？
　　 B ： 還沒。現在（♪）
　　　　　＜還沒。現在正在做。＞

例2 A ： 打掃完了嗎？
　　 B ： 不。現在（♪）
　　　　　＜不。現在正在掃。＞

① A ：盤子已經洗好了嗎？
　 B ：還沒。現在（♪）
　　　　＜還沒。現在正在洗。＞

② A ：看了今天的報嗎？
　 B ：不。現在（♪）
　　　　＜不。現在正在看。＞

③ A ：做完功課了嗎？
　 B ：不。現在（♪）
　　　　＜不。現在正在做。＞

④ A ：衣服穿好了嗎？
　 B ：還沒。現在（♪）
　　　　＜還沒。現在正在穿。＞

⑤ A ：信寫好了嗎？
　 B ：還沒。現在（♪）
　　　　＜還沒。現在正在寫。＞

解答

例1 **正在做**　　例2 **正在掃**　①**正在洗**　②**正在看**　③**正在做**
④**正在穿**　⑤**正在寫**

2. 現在說明李先生一天的生活。請邊看圖邊聽。

　　李先生早上7點起床。吃完早飯以後刷牙。8點去學校上課。12點半吃中飯。3點下課後在圖書館唸書。5點去打工。7點吃晚飯。9點回家。10點洗澡。做完功課後看電視。12點就寢。

現在要說 a 到 e 的句子，和圖相符的劃○，不同的打×。

a. 李先生刷完牙後吃早飯。
b. 在圖書館唸完書後吃中飯。
c. 回家以後去打工。
d. 洗完澡後寫功課。
e. 看完電視後洗澡。

解答

a× **b**× **c**× **d**○ **e**×

1. **這裡是留學生會館的大廳。瑪麗亞小姐和譚先生分別是哪一位？請按照例題選擇。**

女：田中先生，請到這邊來。這裡就是大廳。

男：打擾了。哇！好寬敞喔！有許多學生正在休息哩！

女：嗯。你看！約翰先生在那裡和朋友談著話呢！

男：眞的耶！瑪麗亞小姐在那裡！

女：嗯，她在看英文報紙。

男：李先生在哪裡呢？沒看到耶！

女：李先生現在在房間唸書。

男：譚先生呢？

女：譚先生嗎？譚先生坐在那裡呀！

男：譚先生！譚先生！

女：他在聽音樂啦！我們再走過去一點好了！

2. **瑪麗亞小姐和譚先生在做什麼？請寫出來。**

解答

1. 例 約翰先生－a， 瑪麗亞小姐－b， 譚先生－c， 2. 瑪麗亞－看（英文）報紙，
譚－聽音樂

　我現在在留學生教育中心學日文，還在大學裡學柔道。每天都有在<u>練習</u>，是由老師或
學<u>長前來</u>指導的。每週有1次，也就是星期六那天，我在<u>教</u>日本學生韓文。

16

しゃしん
写真をとってもいいですか。
Tape 2-B　CD 2-7

可以拍照嗎？

（初級 I 本冊 105 頁）

1. 這個女生怎麼做？請聽對話，然後按照例題選擇。

例 女：我可以借這本字典嗎？
　　男：啊！抱歉！字典請在圖書館內使用。
　　女：是的，我明白了。
　　　　a. 要借字典回家用。
　　　　b. 不帶字典回家。

① 女：可以影印這本書嗎？
　　男：可以。請用那台3號影印機。
　　女：好的，3號是吧！
　　　　a. 不要影印書。
　　　　b. 要使用影印機。

② 女：對不起，我想去運動公園…。
　　男：運動公園嗎？這個嘛…，請看這張地圖。
　　女：好的。這張地圖可以給我嗎？
　　男：嗯，請拿去。
　　　　a. 拿地圖後去運動公園。
　　　　b. 買地圖後去運動公園。

③ 男：喂，那位小姐，請等一下。
　　女：你在叫我嗎？是不是不能進去呢？
　　男：不是的，請把妳的皮包放入寄物櫃後再進去。
　　女：啊！好的，抱歉。
　　　　a. 要把皮包放入寄物櫃。
　　　　b. 要帶著皮包進去。

④ 男：喂！那位小姐！不可以把垃圾丟在那裡呀！
　　女：啊！抱歉。垃圾桶在哪裡呢？
　　男：沒有垃圾桶。垃圾請自行帶回家丟棄。
　　女：好的。
　　　　a. 把垃圾丟入垃圾桶後回家。
　　　　b. 回家以後丟垃圾。

⑤ 女：好漂亮的色彩喔！我最欣賞這個人的畫了。
　　男：比起風景明信片或海報，這張畫要漂亮多了呢！
　　女：真的耶！不知道可不可以拍照？
　　男：不行不行，妳看那個。
　　女：啊！真可惜。

a. 要拍海報的照片。

b. 不使用相機。

解答

例 b　① b　② a　③ a　④ b　⑤ b

2. **請按照例題寫出，然後再做檢查。**

例 A：好冷喔！要不要關窗呢？

　　B：嗯，（♪）

　　　　＜嗯，請關。＞

① A：好暗喔！要不要開燈呢？

　　B：嗯，（♪）

　　　　＜嗯，請開。＞

② A：這盤子不怎麼乾淨耶！要不要洗呢？

　　B：嗯，（♪）

　　　　＜嗯，請洗一洗。＞

③ A：要不要把這張椅子搬到隔壁房間呢？

　　B：嗯，（♪）

　　　　＜嗯，請搬一搬。＞

④ A：我忘記帶錢包了。

　　B：那要不要借你一點錢呢？

　　A：抱歉，就（♪）

　　　　＜抱歉，就請你借我囉！＞

⑤ A：今天從早上開始我就頭痛。

　　B：要不要給你一些藥呢？

　　A：嗯，（♪）

　　　　＜嗯，拜託你了＞

解答

例 請關　① 請開　② 請洗　③ 請搬　④ 請借（我）　⑤ 請

3. **這個男生要做什麼？請按照例題選擇，並請注意聽女生的聲調和發音。**

例 女：請見家父。

　　男：好的。

① 女：請你買那個。

　　男：那個嗎？好的，好的。

② 女：請用這個切。

　　男：好的，謝謝。

③ 女：請你先走。

男：好的，那我就不客氣了。

④ 女：請立刻閱讀。

男：好的，我知道了。

解答

例a　① c　② b　③ a　④ b

請聽小學生和老師的對話，在a到e中和對話內容相符的劃○，不同的打×。請先稍微閱讀一下a到e的句子。現在開始。

老師：現在開始要參觀城堡內部。因為城堡內部有階梯，所以不可以奔跑，要慢慢地走，也不可以互相推擠。裡面有許多舊刀、頭盔以及和服等展示品，大家要好好觀賞，並且仔細聆聽導遊的解說，禁止大聲喧嘩。

學生：老師，可以登到城堡的最高處嗎？

老師：可以，不過爬樓梯的時候要小心。

學生：可以拍照嗎？

老師：城堡內部不能拍照，但是外面就可以了。還有沒有其他問題呢？好，我們就進去吧！

　　　a．可以在城堡裡面奔跑。

　　　b．不可以互相推擠。

　　　c．不可以在城堡外面拍照。

　　　d．可以在城堡裡面大聲喧嘩。

　　　e．可以登到城堡的最高處。

解答

a×　b○　c×　d×　e○

① a．請穿襯衫。

　　b．請切蘋果。

② a．請借我鉛筆。

　　b．請還我書。

③ a．請拿砂糖。

　　b．請經由那條路。

④ a．請明天過來。

　　b．請再聽一遍。

⑤ a．在吸煙。

　　b．在散步。

みんな来ています。   Tape 3-A CD 3-1

大家都來了。

(初級 I 本冊 109 頁)

1. 請先聽簡短對話，然後聽 a、b，選擇和對話內容相符的答案。

A：李先生的哥哥來日本了嗎？
B：嗯，已經來了。
    a. 李先生的哥哥要來日本。
    b. 李先生的哥哥在日本

① A：門前停著一輛汽車耶！
  B：嗯，那是鈴木小姐的汽車。
    a. 鈴木小姐的汽車停在門前。
    b. 鈴木小姐在門前等著。

② A：櫻花已經開了嗎？
  B：嗯，已經開了！
    a. 櫻花已經凋謝了。
    b. 現在正開著櫻花。

③ A：你知道田中先生家在哪裡嗎？
  B：嗯，田中先生住在橫濱！
    a. 田中先生知道橫濱。
    b. 田中先生住在橫濱。

④ A：可以使用這台文字處理機嗎？
  B：啊！那台壞了耶！
    a. 女生要使用文字處理機。
    b. 女生不使用文字處理機。

⑤ A：黃小姐現在在房間裡嗎？
  B：黃小姐現在去銀行了！
    a. 黃小姐在房間裡。
    b. 黃小姐去銀行了。

解答

例 b ① a ② b ③ b ④ b ⑤ b

2. 句子只說到一半。請選擇正確答案完成句子，然後再做檢查。

例 因為電燈開著，（♪）
  ＜因為電燈開著，請關掉。＞

① 因爲窗戶開著，（♪）
　　＜因爲窗戶開著，請關上。＞

② 因爲上著鎖，（♪）
　　＜因爲上著鎖，請打開。＞

③ 因爲門關著，（♪）
　　＜因爲門關著，請打開。＞

④ 因爲箱子裡有啤酒，（♪）
　　＜因爲箱子裡有啤酒，請取出。＞

⑤ 因爲椅子壞了，（♪）
　　＜因爲椅子壞了，請修理。＞

⑥ 因爲垃圾散落，（♪）
　　＜因爲垃圾散落，請打掃。＞

解答

例a　①b　②a　③a　④a　⑤b　⑥a

3. 這個女生現在要做什麼？請按照例題選擇。

例 男：下一班電車是9點15分的喔！
　　女：那麼我去買個票就回來，請你在這裡等一下。
　　　　a.買票　　b.問時間

① 男：山田小姐動作真慢呀！大家都已經來了耶！
　　女：請再稍等片刻。我現在就去叫她。
　　　　a.等山田小姐　　b.叫山田小姐

② 男：安小姐，妳要去哪裡？
　　女：去寄這封信就回來。
　　　　a.寫信　　b.寄信

③ 男：麗莎小姐，妳今天下午有空呀？
　　女：嗯，因爲天氣不錯，所以要到公園去散個步。
　　　　a.在公園散步　　b.打掃公園

④ 男：在下雨喔！
　　女：我去借把傘來，請你在這裡等一下。
　　　　a.借傘給人　　b.向人借傘

⑤ 男：明天有漢字的測驗嗎？
　　女：請等一下。我去問老師。
　　　　a.問老師　　b.和老師去

解答

例a　①b　②b　③a　④b　⑤a

17.みんな来ています。

43

今天田中先生的房間比往常要乾淨。是為什麼呢？

（敲門聲）

田　中：請進，門沒關！

蘭　　：田中先生，你好！

田　中：啊！，蘭小姐，歡迎妳來，裡面請。

蘭　　：哇！田中先生，你房間好乾淨喔！

田　中：嗯！今天早上匆忙地打掃過。對了，請妳看看桌上。

蘭　　：哇！好漂亮的花喔！田中先生買花回來的嗎？真稀奇哩！

田　中：冰箱裡還有果汁和蛋糕呢！因為今天有客人來…。

　　　　：田中先生，你說的客人是誰呀？

田　中：嘻！蘭小姐，我說的客人就是妳呀！瑪麗亞小姐和李先生都已經來了喔！

李

田　中　｝　蘭小姐，生日快樂！！

瑪麗亞

為什麼田中先生的房間比往常要乾淨呢？請從 a 、 b 、 c 中選擇一個劃○。

a．因為媽媽要來。

b．因為是田中先生的生日。

c．因為是蘭小姐的生日。

解答

　　c

　　今天早上是個好天氣，但是午後開始天色變暗，並且下起雨來。我沒有帶傘，所以一直等到林小姐上完課，然後和林小姐共撐一把傘回家。我和林小姐住在同一所大學宿舍。一回到家，發現房間的窗戶是開著的，因為今天早上天氣很好，所以我沒關窗就出門了。

これはかぜの薬で、それはおなかの薬です。

これはかぜの薬<ruby>薬<rt>くすり</rt></ruby>で、それはおなかの薬<ruby>薬<rt>くすり</rt></ruby>です。

這是感冒藥，而那是胃腸藥。

 Tape 3-A CD 3-2

（初級 I 本冊 113 頁）

 1. 使用什麼樣的形容詞？請按照例題選擇。

例 這個公事包既大又重。

① 這個蘋果又硬又難吃。

② 她既溫柔又漂亮。

③ 這裡真是個既狹小又骯髒的房間呀！

④ 真是好輕又好軟的麵包呀！

⑤ 這棟公寓離車站遠，而且荒涼。

解答

例 大的，重的 ① 硬的，難吃的 ② 溫柔的，漂亮的 ③ 狹小的，骯髒的

④ 輕的，軟的 ⑤ 遠的，荒涼的

2. **請按照例題選擇，然後再做檢查。**

例 我的房間既明亮（♪）
　　＜我的房間既明亮又乾淨。＞

① 這個公事包既耐用（♪）
　　＜這個公事包既耐用又輕巧。＞

② 那家店的咖啡既難喝（♪）
　　＜那家店的咖啡既難喝，價錢又貴。＞

③ 今天風大（♪）
　　＜今天風大，而且又冷。＞

④ 這附近既吵雜（♪）
　　＜這附近既吵雜，物價又高＞

解答

例 b ① b ② b ③ a ④ b

3. **請先聽簡短對話，再聽 a、b、c，並從中選出一個和對話內容相符的答案。**

例 男：啊，那個人！是楊先生的哥哥耶！
　　女：誰呀？你是說那邊那個高個長髮的人嗎？
　　男：不是啦！我是說他旁邊那個矮個短髮的人啦！
　　女：喔，原來如此。

a. 楊先生的哥哥個子高，頭髮長。

　　b. 楊先生的哥哥個子矮，頭髮長。

　　c. 楊先生的哥哥個子矮，頭髮短。

① 女：約翰先生是學生嗎？

　　男：嗯！我是專門學校的學生。

　　女：你是唸什麼的？

　　男：攝影。

　　女：這麼說，你將來想當攝影師囉？

　　男：嗯，想當電視公司的攝影師。

　　　　a. 男生是大學生，專攻攝影。

　　　　b. 男生的專攻是攝影，將來想當攝影師。

　　　　c. 男生是專門學校的學生，他正藉由電視在學習中。

② 女：田中先生的公寓在車站附近嗎？

　　男：嗯，就在旁邊。

　　女：那還真方便哩！大嗎？

　　男：不，很小，而且沒有冷氣，所以夏天非常熱。

　　　　a. 男生的公寓既大又方便。

　　　　b. 公寓很小，而且夏天炎熱。

　　　　c. 公寓在車站附近，而且還有冷氣。

③ 男：對不起，請問這班電車到小田原嗎？

　　女：嗯！對呀！

　　男：啊！太好了！那麼會停靠町田站囉！

　　女：停是會停，但這不是快車，你搭那班快車會比較早到站！

　　男：這樣子啊！謝謝妳。

　　　　a. 這班電車到小田原，但不是快車。

　　　　b. 這班電車到小田原，但不停靠町田站。

　　　　c. 這班電車是快車，而且到小田原。

解答

例c ① b ② b ③ a

 1. 李先生因身體不舒服而去看醫生。李先生哪裡不舒服呢？請在（）內劃○。

醫　生：怎麼了呢？

李　　：嗯…我從昨天開始就喉嚨痛…有時還會咳嗽。

醫　生：有發燒嗎？

李　　：並沒有發燒，但是肚子會有一點痛。

醫　生：喔！大概是感冒了吧！給你開個藥好了。白藥是感冒藥，而黃色的是胃腸
　　　　藥，請分早、午、晚3次服用。

李　　：好的，我明白了。是不是各吃1粒？

醫　生：是的！請1次1粒地分3次服用。
李　　：好的，謝謝。
醫　生：保重了！

2. 李先生拿到了什麼樣的藥袋呢？請再聽一遍對話後選擇。

解答
1.**b，c，f**　　2.**c**

我暑假期間到北海道札幌的家庭去寄宿了。札幌是北海道<u>最大的城市</u>，人口約有160萬人。夏天天氣<u>涼爽</u>，讓人感到非常<u>舒服</u>。寄宿家庭的成員們都很親切，因此寄宿生活過得相當<u>愉快</u>。

18. これはかぜの 薬<ruby>薬<rt>くすり</rt></ruby>で、 それはおなかの <ruby>薬<rt>くすり</rt></ruby>です。……

ラーメンを 10 ぱい 食べることができ
ます。

能吃 10 碗拉麵。 Tape 3-A　CD 3-3

（初級 I 本冊 116 頁）

 1. 請按照例題選擇適當的動詞完成下列句子，然後再做檢查。

例 A：譚先生，請彈鋼琴。
　　B：對不起，我不會（♪）鋼琴。
　　　＜我不會彈鋼琴。＞

① A：瑪麗亞小姐，妳懂漢字嗎？
　　B：嗯，懂呀！我差不多（♪）1000 個字。
　　　＜我差不多會寫 1000 個字。＞

② A：約翰先生，好美的大海喔！你不游泳嗎？
　　B：嗯題有些難喔！＞是有（♪）。
　　　＜可是我不會游泳。＞

③ A：約翰先生，那張票是什麼？
　　B：這張嗎？這可是非常方便的車票喔！用這張票（♪）日本各地。
　　　＜用這張票可以周遊日本各地。＞

④ A：京子小姐，好漂亮的和服呀！是妳自己穿的嗎？
　　B：不，我（♪）和服
　　　＜不，我不會穿和服。＞

⑤ A：哇！好大的洗衣機喔！
　　B：嗯，這台洗衣機（♪）100 件襯衫
　　　＜嗯，這台洗衣機可以洗 100 件襯衫。＞

解答

例 彈，b　① 寫，a　② 游泳，b　③ 旅行，a　④ 穿，b　⑤ 洗，a

2. 請聽對話，然後按照例題填寫答案。

例 A：你吃完晚飯後馬上刷牙嗎？
　　B：不，我睡前才刷牙。

① A：這個請你吃，是我做的。
　　B：真好吃！妳是在哪裡學的呢？
　　A：餐飲學校。是婚前學的。

② A：老師，可以看課本嗎？
　　B：不行，請先聽錄音帶，然後再看課本。

③ Ａ：田中先生，你馬上要回家嗎？

　　Ｂ：不，我要去圖書館，然後才回家。

④ Ａ：我有一卷精彩的錄影帶，你要不要一起看？

　　Ｂ：好呀！不過在欣賞之前還是先做功課吧！

⑤ Ａ：請你出門前給我來個電話，我好去接你。

　　Ｂ：好，我知道了。

解答

例 睡覺　① 結婚　② 看課本　③ 回家　④ 看錄影帶　⑤ 出門

這 4 個人的，會做什麼？請聽對話，然後寫出答案。

女：下個天遇見田中先（大學裡類似園遊會的活動）了，我們留學生組織也來辦
　　個活動好不好？

男：是啊！可是要辦什麼活動呢？

女：舉辦一場各國歌謠的音樂會如何？瑪麗亞小姐的歌唱得很好喔！還有宋先生
　　會彈吉他。

男：那麼因為罐裝咖啡非常甜，我不喜歡喝的我。吉他吧！其他還有什麼可以
　　表演的呢？

女：啊！我想到了。來擺個餃子、燒賣和拉麵之類的攤位如何？王小姐很會做菜
　　喔！我也可以幫忙。對了，金先生，你會做什麼？

男：嗯，我嗎？我不會做菜……。耶，真糟糕！不過，我能吃下 10 碗拉麵。

解答

瑪麗亞 ―（很會）唱歌，　宋 ―（很會）彈吉他，　王 ―（很會）做菜，　金 ― 吃10
碗拉麵，

　　我的興趣是做小點心，還會做各種蛋糕，夢想則是去法國學做小點心。我現在雖然還
不會說法文，但是希望到法國去之前能夠說得很流利。

銀行(ぎんこう)へ行(い)かなければなりません。

必須去銀行。

Tape 3-A　CD 3-4

（初級 I 本冊 118 頁）

1. 這個男生要做什麼？請按照例題從 a、b、c 中選擇一個劃○。

例 女：請不要寫在這張紙上。
　　男：好，我知道了。

① 女：請不要把字典和筆記本拿到桌上。
　　男：好，我知道了。

② 女：明天早上必須早起嗎？
　　男：嗯，當然。

③ 女：先生，請不要在這裡抽煙。
　　男：啊！眞抱歉。

④ 男：明天非來不可嗎？
　　女：明天不來也可以啦！

⑤ 男：可以不還這卷卡帶嗎？
　　女：不，這卷非得歸還。

⑥ 男：可以打開電視嗎？
　　女：啊！現在請別開。

解答

例 a　① a　② b　③ a　④ a　⑤ b　⑥ c

2. 請聽簡短對話，然後選出和對話內容相符的畫。

例 A：對不起，能不能請你不要在這裡抽煙？
　　B：啊！眞抱歉。我到外面去抽。

① A：小姐！請不要把車停在這裡。
　　B：好的，不好意思。請問這附近有停車場嗎？

② A：襯衫也必須脫嗎？
　　B：襯衫可以不用脫啦！現在要照了。吸氣，好！請憋氣。

③ A：啊！我還在寫，請不要擦掉。
　　B：啊！抱歉。

④ A：這盤子可以不用收嗎？
　　B：不，這裡屬於自助式，必須自己收拾。

⑤ A：一定要蓋章嗎？
　　B：不，也可以簽名啦！

⑥ A：這個箱子裡有玻璃杯，請別壓破了！

B：好！那麼，就放在最上面吧！

解答

例 a ① b ② g ③ d ④ e ⑤ c ⑥ f

妹妹和姊姊在談話。姊姊每天有哪些非作不可的事呢？後面會說出句子，請在和對話內容相符的地方劃○。

妹妹：唉！每天都在做實驗和寫報告，真是忙死了。真羨慕姊姊這麼閒。

姊姊：才沒有哩！家庭主婦也是很忙的耶！早上必須送孩子去上幼稚園，接著還要打掃和洗衣服。下午則必須去銀行、郵局，傍晚又要上街購物、準備晚餐。而且還得去溜狗…。

妹妹：但妳晚上總有一些時間吧！

姊姊：即使到了晚上，吃完飯後必須收拾餐具，幫孩子洗澡，熨燙洗好的衣物，然後才是屬於自己的時間。

妹妹：哦！家庭主婦原來也很辛苦嘛！

姊姊必須做什麼呢？

a．必須寫報告。

b．必須送孩子上幼稚園。

c．必須做實驗。

d．必須熨燙衣物。

e．必須上街購物。

f．必須去大學。

g．必須去銀行。

解答

b，d，e，g

句子只說到一半。請思考接下來該接續什麼詞，動詞部份以「～なければなりません」「～なくてもいいです」「～ないでください」的形態寫出。

例 A：明天要上學嗎？

B：明天是星期天，<u>可以不用上學</u>。

① A：還得吃這藥嗎？

B：因爲燒已經退了，這藥<u>不吃也行</u>。

② A：可以不鎖房門嗎？

B：不行，這房裡有重要機械，所以<u>必須上鎖</u>。

③ A：這裡可以停車嗎？

　　B：不行，因為是家門口，所以<u>不可以停</u>車。

④ A：你必須打工嗎？

　　B：不，因為我有獎學金，所以可以<u>不用</u>打工。

 ## スキーをしたことがありますか。

滑過雪嗎？

Tape 3-B　CD 3-5

（初級 I 本冊 121 頁）

1. 請先聽簡短對話，再聽 a、b，選擇和對話內容相符的答案。

例　男：妳看過歌舞伎嗎？
　　女：嗯，我去看過一次。
　　　　a. 女生看過歌舞伎。
　　　　b. 女生沒看過歌舞伎。

① 男：妳見過山田老師的夫人嗎？
　　女：不，還沒見過。
　　　　a. 女生見過山田老師的夫人。
　　　　b. 女生沒見過山田老師的夫人。

② 男：惠子小姐去年不是去了京都嗎？京都怎麼樣啊？
　　女：眞是太棒了，我還想再去。
　　　　a. 女生去過京都。
　　　　b. 女生沒去過京都。

③ 男：這音樂不錯吧！
　　女：嗯，的確好聽！我也有這片 CD。
　　　　a. 女生聽過這音樂。
　　　　b. 女生沒聽過這音樂。

④ 男：妳喜歡登山嗎？
　　女：嗯！我去年登上了富士山。
　　　　a. 女生登過富士山。
　　　　b. 女生沒登過富士山。

⑤ 男：妳覺得日本料理味道如何？
　　女：這個嘛！因爲我沒吃過，所以不清楚。
　　　　a. 女生吃過日本料理。
　　　　b. 女生沒吃過日本料理。

⑥ 男：妳打過工嗎？
　　女：沒有，不過我暑假想嘗試看看。
　　　　a. 女生打過工。
　　　　b. 女生沒打過工。

解答

例 a　① b　② a　③ a　④ a　⑤ b　⑥ b

2. 請聽對話，然後按照例題選出正確的圖。

例　男：咳咳（咳嗽聲）
　　女：你最好吃一下藥。

① 男：我的手錶，也不在這裡呀！放到哪裡去了呢？
　　女：你最好打掃一下。

② 男：咦！錢包不見了！
　　女：你最好再仔細找一遍。

③ 男：咦！胖了 3 公斤。
　　女：你最好稍微做些運動。

④ 男：啊！好累。
　　女：你最好稍微休息一下。

⑤ 男：什麼？考 20 分，糟糕了！
　　女：你最好再多加用功。

⑥ 男：咦！路上車子滿多的耶！真是傷腦筋！
　　女：這樣的話，我看搭電車去還比較好！

解答
例 a　① e　② c　③ b　④ g　⑤ d　⑥ f

這個男生和女生滑過雪嗎？請聽對話，然後在正確答案上劃○。

女：木村先生，下次放假你會出門嗎？
男：嗯，我要去滑雪。
女：哦！要去滑雪？
男：對，我每年都會去滑雪喔！拉塔娜小姐滑過雪嗎？
女：不，我連一次都沒滑過，而且也沒看過雪。
男：那妳要不要一起去呢？很好玩喔！
女：我很想去。不過，滑雪的準備工作很費事吧！
男：不要緊，不要緊，因為全都可以在滑雪場借到，而且第一次滑雪的人用借的
　　比較好。
女：是嗎？太好了。

解答
例 a　① a　② c　③ b　④ a

① 最好在一星期前就買好票。
② 明天 6 點鐘出發，所以最好早點就寢。
③ 飯後最好不要馬上運動。
④ 服用這種藥之後，最好不要開車。
⑤ 因為你在感冒，所以最好向公司請 2、3 天假。

どこかへ行った？

是否去了哪裡？

（初級 I 本冊 124 頁）

 1. 這個女生和男生哪一個說話客氣？請在客氣那句上劃○。

例 男：妳看了今天早上的報紙嗎？
　女：不，還沒。

① 男：已經開完會了嗎？
　女：不，還沒。

② 男：那部電影精彩嗎？
　女：嗯！非常精彩。

③ 女：再來一杯啤酒如何？
　男：好的，謝謝。

④ 女：現在可以影印嗎？
　男：啊！可以呀！

⑤ 女：考得如何？題目難嗎？
　男：不，不怎麼難啦！

⑥ 女：那個蘋果好吃嗎？
　男：這個嘛…有點酸耶！

解答

例 女　① 女　② 男　③ 男　④ 女　⑤ 女　⑥ 女

2. 請先聽簡短對話，然後再聽問題選擇正確答案。

例 女：要喝點什麼嗎？
　男：不，現在不喝，等一下再喝。
　【男生怎麼做？】
　　　a. 現在不喝。
　　　b. 現在不搭乘。

① 男：昨天去學校了嗎？
　女：嗯，去了。
　【女生做了什麼？】
　　　a. 在學校。
　　　b. 去了學校。

② 女：那個買了嗎？
　男：不，沒買。

【男生做了什麼？】
    a.沒買。

    b.沒借。

③ 男：妳有在打工嗎？

    女：嗯！有在打一點工。

【女生有在打工嗎？】
    a.有打一點工。

    b.有點知道。

④ 女：可不可以等我一下？

    男：啊！好啊！

【男生怎麼做？】
    a.拿一下。

    b.等一下。

⑤ 男：妳已經用過那台相機了嗎？

    女：喔！那台呀！嗯，用了。

【女生做了什麼？】
    a.買了相機。

    b.用了相機。

解答

例a ① b ② a ③ a ④ b ⑤ b

請先閱讀答案卷上拉塔娜小姐的日記，然後聽她與張學長的對話。聽兩遍後，按照例題用常體完成日記。

男：昨天天氣很好喔！拉塔娜小姐有去哪裡嗎？

女：嗯！我去了鎌倉。

男：一個人去的嗎？

女：不，是和田中先生兩個人去的

男：哦！從新宿出發的嗎？

女：嗯！從新宿搭小田急線到藤澤車站，再從那裡轉搭江之電。我見著了窗外美麗的海景。

男：從藤澤出發大約花了幾分鐘呢？

女：這個嘛…約花了30分鐘。

男：鎌倉是個什麼樣的地方？

女：是個擁有悠久歷史的古都。從 1180 年起約有 150 年的時間是為日本的中心，因此有許多古老的寺廟。大佛相當出名。

男：這樣呀？玩得愉快嗎？

女：嗯！我渡過了非常愉快的一天。

男：那太好了。

（範例）

6月20日（星期天）晴

　雖然過去幾天每天都在下雨，但今天卻是個好天氣。我和田中先生兩人到鎌倉去了。從新宿搭小田急線到藤澤，再從那裡搭江之電。我見著了窗外美麗的海景。從藤澤到鎌倉大約花了30分鐘。

　鎌倉是個古都。從1180年起的150年是爲日本的中心。還有古老的寺廟和大佛。今天真的是玩得很愉快。

ホテルのロビーに集まると言ってください。

請轉告在旅館大廳集合。

Tape 3-B　CD 3-7

（初級Ｉ本冊127頁）

 1. 這個女生說了什麼？請聽對話，然後按照例題寫出答案。

例 女：李先生，今晚9點我打電話給你！
　　男：好的，我等妳電話。

① 女：今天我肚子痛，所以要請假。
　　男：這樣呀！我會報告老師的，請妳好好休息。

② 女：考試也考完了，明天我有空，你要不要來玩呀？
　　男：好呀！我也有空，就去妳那裡囉！

③ 男：他是大學生吧！
　　女：不，不是的。

④ 男：咦！田中先生已經回家了嗎？
　　女：不，他的公事包還在，所以他人還沒走！

解答

例 打電話　① 請假、休息　② 有空，不來嗎　③ 不是大學生　④ 在

2. 遇到下列場合，用日語應該如何表達？請在正確的答案上劃○。

例 李先生接受了花子小姐的領帶。李先生該向花子小姐說什麼？
　　a. 說「非常謝謝」。
　　b. 說「非常恭喜」。

① 李先生感冒了，今天要向學校請假。早上他打電話到學校去，辦公室的職
　員該說什麼？
　　a. 說「祝你身體健康」。
　　b. 說「請保重」。

② 今晚山田老師家有派對，李先生無法前往，而楊先生要去。李先生該對楊先生說
　什麼？
　　a. 說「請向山田老師問好」。
　　b. 說「請向山田老師道歉」。

③ 花子小姐要去美國短期旅行，李先生送花子小姐到機場。李先生在機場該說什麼？
　　a. 說「再見」。
　　b. 說「一路平安」。

④ 李先生6個月沒見到田中先生了，今天在銀行遇見了田中先生。他該對田中先生說什麼？

      a．說「田中先生，好久不見」。

      b．說「田中先生，讓你久等了」。

⑤ 李先生到田中先生家去，他們一起吃晚飯。吃完飯後該說什麼？

      a．說「開動」。

      b．說「謝謝盛餐」。

解答

例a ① b ② a ③ b ④ a ⑤ b

請先閱讀楊先生所寫下的留言，然後再聽對話，選出正確答案。

田中：喂！是佐藤小姐嗎？

楊　：不，佐藤小姐她現在有事出去一下，我是她朋友，敝姓楊。

田中：我叫田中，麻煩留言給佐藤小姐。

楊　：好的，我來寫一下，請你慢慢說。

田中：請轉告她說鈴木同學因為放暑假從法國回來，我們要在下個星期天舉辦同學會。嗯…，時間是晚上6點鐘，地點在品川的富士飯店。

楊　：請等一下。嗯…，要開同學會是吧！下個星期天晚上6點鐘開始，地點在？

田中：品川的富士飯店。請告訴她在大廳集合。

楊　：抱歉，煩請再說一次您的大名。

田中：我叫田中。那麼就拜託你了。

楊　：好，我知道了，再見。

解答

c

　　聽寫真難，每次都想對卡帶說「請等一下」。剛開始的二、三個單字還算聽得懂，接下來的就馬上會忘記，實在是傷腦筋。但是老師說每天都得聽寫。我雖然也這麼認為，卻怎麼也無法喜歡上它。不知道有沒有什麼好辦法？

いくつまで生きるでしょうか。

會活到幾歲呢？

Tape 3-B　CD 3-8

（初級Ⅰ本冊130頁）

 1. 請選出正確的對話。

例 a．A：李先生，你有幾個兄弟姊妹？
　　　 B：嗯…1個弟弟，2個妹妹。有3個吧！
　　b．A：李先生，你有幾個兄弟姊妹？
　　　 B：嗯…1個弟弟，2個妹妹。有3個。

① a．A：惠子小姐也會參加今晚的派對吧！
　　　 B：大概會參加吧！
　　b．A：惠子小姐也會參加今晚的派對吧！
　　　 B：是嗎？會參加嗎？

② a．A：你看！那裡有家醫院對吧？
　　　 B：啊！有耶！
　　b．A：你看！那裡有家醫院對吧？
　　　 B：嗯，有吧！

③ a．A：那本書你看了嗎？內容不怎麼精彩吧！
　　　 B：嗯，不精彩吧！
　　b．A：那本書你看了嗎？內容不怎麼精彩吧！
　　　 B：不，很精彩喔！

④ a．A：你知道惠子小姐的電話號碼嗎？
　　　 B：嗯，知道吧！
　　b．A：你知道惠子小姐的電話號碼嗎？
　　　 B：我不知道，但是瑪麗亞小姐或許知道。

⑤ a．A：李先生，明天的派對你也會參加嗎？
　　　 B：是的，應該會參加吧！
　　b．A：李先生，明天的派對你也會參加嗎？
　　　 B：或許會參加，目前還不知道。

解答

例 b　① a　② a　③ a　④ b　⑤ b

 1. 請聽下列對話。山中小姐的手是哪一隻？

男：山中小姐，請讓我看看妳的手。
女：好，這樣子嗎？
男：嗯，山中小姐應該會相當長壽吧！

女：爲什麼呢？

男：妳看這條線不是又粗又長嗎？這種人是會健康長壽的喔！

女：那大概會活到幾歲呢？

男：這個嘛！活到 80 歲左右應該是不成問題啦！啊！不過在差不多 50 歲的時候妳最好留意一下各種疾病。

女：哦！你還眞清楚嘛！那麼，我會早婚嗎？

男：妳是說結婚嗎？應該不會太早吧！

女：是嗎…？其實，我下個月就要結婚了！

男：什麼？

山中小姐的手是哪一隻？請由 a、b、c 中選擇。

2. 請再聽一遍對話，這個男生看了山中小姐的手後說了些什麼？a、b、c、d 中和對話內容相符的劃○。

a．說她應該會活到 50 歲左右。

b．說她應該會長壽。

c．說她應該不會早婚。

d．說她應該會經常生病。

解答

1.b　2.b，c

　　大家好！爲您播報全國的天氣概況。

　　今天的北海道到九州各地都是晴空萬里，<u>相當暖和</u>。不過，明天的西半部地區將逐漸<u>轉爲雨天</u>。九州<u>從上午就會降雨</u>，而大阪也差不多在接近中午的時候<u>開始下雨</u>。東京以北則爲<u>晴轉陰</u>的天氣。

地震のとき、恐かったです。

地震時真可怕。

（初級 I 本冊 132 頁）

下列對話中女生說的話是什麼意思？請按照例題選擇答案。

例 孩子：可以看電視嗎？
　　母親：吃飯的時候不行，吃完飯以後就可以了。
　　　　　a. 吃飯的時候必須看電視。
　　　　　b. 吃完飯以後可以看電視。

① 母親：下雨的時候不可以外出喔！
　　孩子：好啦！
　　　　　a. 雨停了以後可以外出。
　　　　　b. 下雨的時候最好外出。

② 男　：已經4點半了耶！5點以前會到嗎？
　　女　：眞想在天黑前抵達！
　　　　　a. 想在天黑前抵達。
　　　　　b. 想在天黑的時候抵達。

③ 女　：約翰先生，你昨天怎麼了？
　　男　：我因爲感冒發燒，所以一直在睡覺。一個人住眞是傷腦筋。
　　女　：那眞是糟糕呀！這種時候請隨時來電。
　　　　　a. 沒生病的時候請隨時來電。
　　　　　b. 遭遇困難時請隨時來電。

④ 女　：來，請用。趁熱吃吧！
　　男　：我就不客氣了。啊！眞好吃！
　　　　　a. 請熱了之後再吃。
　　　　　b. 請趁熱吃。

⑤ 男　：這張相片是什麼時候拍的？
　　女　：是前陣子去箱根的時候拍的。
　　　　　a. 去箱根拍的。
　　　　　b. 去箱根之前拍的。

⑥ 男　：這是件重要事項，你可別忘記了。
　　女　：好。那就趁我還沒忘記的時候先寫在手冊上。
　　　　　a. 忘記之後再看手冊。
　　　　　b. 趁記得的時候寫在手冊上。

解答

例 b　① a　② a　③ b　④ b　⑤ a　⑥ b

請聽對話，然後完成①到④的句子。請先閱讀句子。

女：多姆先生，前陣子的地震好厲害喔！很可怕吧！

男：嗯！地震來臨時我還在睡覺。

女：你嚇到了吧！

男：嗯！搖晃的時候，我根本無法站立。

女：哦！那有沒有發生火災呢？

男：嗯！附近有發生火災。我則是趁著火還沒燒過來的時候就逃了。

女：地震過後也很不方便吧！

男：嗯！停水停電的時候實在是傷腦筋。

女：是嗎？地震真的是好可怕呀！

解答

① 地震來臨　② 搖晃　③ 火還沒燒過來　④ 停水停電

 今天我到成田去迎接來自國內的朋友。是開車去的。朋友預定在下午5點抵達成田機場。剛開始的時候路上的車子很少，但是後來漸漸擠了起來，到最後竟完全動彈不得。車子堵在那裡的時候我非常地耽心。如果朋友抵達成田機場時見不著我，他一定會心急如焚的。所以我必須在朋友尚未抵達成田機場前先到。當4點半趕到成田機場的時候，我真是鬆了一口氣。

（編輯出版）

日本語教材を開発する

大新書局
http://www.dahhsin.com.tw

地　址：台北市大安區(106)瑞安街256巷16號
電　話：(02)2707-3232・2707-3838・2707-6707
傳　真：(02)2701-1633・郵政劃撥帳號：00173901
E-mail：dhlin@dahhsin.com.tw